rocket

rain

rose

r

raincoat

rabbit

robot

river

I put on my **r**aincoat.

I smell the **red rose**.

I feed the **r**abbit.

I **r**ow on the **r**iver.

I **r**ide in the **r**ocket.

I **r**ead to the **r**obot.

It **r**ains on the grass.
It **r**ains on the tree.
It **r**ains on the **r**ooftop
but not on me!